이런! 토끼 버니는 좋아하는 장난감 꼬마 오리를 잃어버렸어요.
그래서 오빠 피터와 밥은 버니를 배에 태우고 꼬마 오리를 찾으러 가요.

여러분, 토끼들과 함께 모험을 떠나 볼까요?
토끼들은 꼬마 오리를 찾아 산꼭대기에서 탁 트인 바다까지,
아주 긴 강을 따라 배를 타고 가요.
강을 따라 오리를 찾는 과정에는 다른 모험이 많이 기다리고 있답니다.

여러분들은 대니를 따라잡을 수 있을까요?

사슴 가족은 자전거로 여행하며 휴가를 보내는 중인데,
모든 걸 찾고 싶어 해요!
어린 사슴 데니스는 여행 중에 무엇을 배울까요?

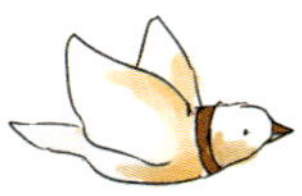

비둘기는
누구를 찾고 있을까요?

여우 가족은 강에서
카약을 타고 있어요.
어떤 동물을 발견할까요?

쥐 마르타와 족제비 윌리는
뗏목을 만들고 있어요.
무엇으로 뗏목을 만들 수 있을까요?

고니 실리아는 아이들을 위해 새집을 찾고 있어요.
막내 시피는 아주 장난꾸러기예요.
시피는 어떤 곤란한 상태에 빠질지 몰라요.
고니들은 어디에 집을 지을까요?

염소 할아버지는 개 덱스터를 데리고
산책하고 있어요.
덱스터는 아주 호기심이 많아요.
덱스터는 산책하면서 무엇을 발견할까요?

스피드광 돼지들이 마구 달리고 있어요.
왜 이렇게 빨리 가는 걸까요?

닭 척은 롤러스케이트를 좋아해요.
친구 돕는 것도 좋아하고요.
롤러스케이트를 타면서 척은 누구를 도와줄까요?

파티에 참여한 동물들은
춤추고 연주하는 걸 좋아해요.
그저 즐기고 싶으니까요.
여러분도 그 파티에 끼고 싶은가요?

어린 양 로라는 낚시를 하는데 지독하게
운이 나빠요.
로라가 뭘 잡는지 보이나요?

엄마와 아빠는 어디서나
편안히 지낼 수 있어요.
여러분들은 어디에서 살고 싶나요?

매그너스 웨이트먼 글·그림 | 엄혜숙 옮김

오리를 따라갑니다

풀과바람

구름 위로 높이 올라가면 모든 게 고요해요.
삐걱삐걱 빙하 소리만 들려요.
버니는 물가에서 즐겁게 놀고 있어요.
"도와줘!" 버니가 갑자기 소리쳤어요.
"피터 오빠! 밥 오빠! 꼬마 오리가 떠내려가!"
버니의 오빠들은 곧장 배에 올라탔어요.
"꼬마 오리가 영영 사라지기 전에 빨리 잡자!"

토끼들은 개울을 따라 내려가, 숲속 깊숙이 들어가요.
"꼬마 오리 하나가 떠내려가는 거 보셨나요?"
토끼들은 여우 가족에게 큰 소리로 물었어요.
그런데 이렇게 물살이 빠르고 물거품 많은 물에서 어느 누가 꼬마 오리를 찾을 수 있겠어요?

푸른 들판을 지나며 물길이 구불구불해지자, 물살이 느려져요.
"농부 아저씨, 노란 꼬마 오리 하나 지나가지 않았나요?"
농부는 고개를 저었어요.
어쩌면 말이나 젖소들이 보지 않았을까요?

강이 탁 트이면서 끝없이 펼쳐져요.
"꼬마 오리야, 이 거대한 호수에서 널 어떻게 찾을 수 있을까?"
버니는 걱정스러웠어요.
꼬마 오리는 물가에 있을 수도 있고, 오가는 배 사이에 있을 수도 있어요.
아니면 여우가 갈대 속에서 발견했을지도 몰라요.

저 우르릉거리는 소리는 뭐죠? 배들이 왜 저렇게 빨리 움직이죠?
이런, 폭포네! 꽉 잡아, 토끼들아!
그런데 이 거대한 물보라 속에서 꼬마 오리는 어디에 있는 걸까요?

마을에 파티가 열렸나 봐요. “저기, 장난감 배 옆을 봐! 꼬마 오리 맞지?” 버니가 소리치면서 물속으로 뛰어들었어요. 꼬마 오리는 유니콘 옆에 있을까요? 아니면 뗏목 옆에 있을까요?

강은 넓어지고, 배는 공장 옆으로 다가가요. '이 강철 괴물 중 하나가 꼬마 오리를 삼킨 건 아닐까?'
버니는 생각했어요. 토끼들은 곳곳을 샅샅이 찾았지만,
꼬마 오리는 어디에서도 보이지 않아요.
어디에 있는 걸까요?

비가 내리기 시작해요. 와, 물과 섬으로 된 아름다운 미로 속 같아요.
"저, 고니들아, 우리 좀 도와주겠니? 우리가 장난감 오리를 잃어버렸거든."
버니가 큰 소리로 말해요. "미안해, 우리는 못 봤는데…."

TILDA 3

"도와줘요! 우리 공이 물에 빠졌어요!" 축구 선수들이 옆에서 소리쳤어요.
토끼들은 축구공을 건져 주었지만, 꼬마 오리는 아직 찾지 못했어요.
꼬마 오리는 이 아름다운 튤립 꽃밭 어디에 있을까요?

토끼들은 항구에 도착했어요. 정말 붐비는 곳이에요!
컨테이너에서 고무 오리들이 물 위로 쏟아져 나오자, 버니가 외쳤어요.
"조심해! 이제 정말 내 꼬마 오리를 어떻게 찾지?" 꼬마 오리는 오직 하나뿐이에요, 그렇죠?

파도가 바닷가로 밀려와요. 멀리 보려고 등대에 올라간 버니가 외쳐요.
“꼬마 오리가 보여!” 꼬마 오리는 저기, 바다로 떠내려가고 있어요.
토끼들아, 서두르자! 꾸물댈 시간이 없단다!

바다에 다다르자, 물은 더없이 고요해요.
꼬마 오리는 잔잔한 파도를 타고 아래위로 까딱까딱 움직이고 있어요.
마침내 버니는 꼬마 오리를 다시 품에 안을 수 있었어요.
“꼬마 오리야, 네가 정말 보고 싶었어. 지금까지 내내 어디에 있었니?
이제 집으로 돌아갈까? 아니면 좀 더 탐험해 볼까?”

마틸다, 핀, 비야네에게

모든 정보를 제공해 주고
책 만드는 데 도움을 준 에드윈에게
특히 감사하며, 마즈카, 크리스,
에스더, 펨케, 크리스티나,
어머니와 아버지께도
감사드린다.

그리고 실케에게
특별한 감사를 전한다.

너, 날 보는 거니?

매그너스 웨이트먼 글 · 그림
어려서부터 그림 그리기와 만들기를 좋아했습니다.
건축가와 도시 디자이너로 활동하다가 한 아이의 아버지가 된 뒤, 그림책에 관심을 두게 되었습니다.
쓰고 그린 책으로 《꼬마 비버의 집으로 세계 여행》이 있습니다.

엄혜숙 옮김
어린이 책 작가이자 번역자입니다. 대학에서 독일 문학과 한국 문학을 공부했습니다.
지금은 어린이 책을 기획하거나 쓰면서 외국의 어린이 책을 우리말로 옮기고 있습니다.
《야호, 우리가 해냈어!》, 《세탁소 아저씨의 꿈》, 《나의 초록 스웨터》 등을 썼고, 《채소가 최고야》, 《큰고니의 하늘》, 《당근 먹는 티라노사우루스》, 《나미타는 길을 찾고 있어요》, 《세계 도시 지도책》, 《훌륭한 이웃》, 《포에버 영》, 《내 마음의 지도책》 등을 우리말로 옮겼습니다.

오리를 따라갑니다
All Along the River

1판 1쇄 | 2020년 1월 22일
1판 2쇄 | 2020년 7월 27일

글 · 그림 | 매그너스 웨이트먼
옮김 | 엄혜숙

펴낸이 | 박현진
펴낸곳 | (주)풀과바람
주소 | 경기도 파주시 회동길 329(서패동, 파주출판도시)
전화 | 031) 955-9655~6
팩스 | 031) 955-9657
출판등록 | 2000년 4월 24일 제20-328호
홈페이지 | www.grassandwind.co.kr
이메일 | grassandwind@hanmail.net

편집 | 이영란
마케팅 | 이승민

값 12,000원
ISBN 978-89-8389-830-2 77850

이 도서의 국립중앙도서관 출판예정도서목록(CIP)은 서지정보유통지원시스템 홈페이지(seoji.nl.go.kr)와
국가자료공동목록시스템(www.nl.go.kr/kolisnet)에서 이용하실 수 있습니다. (CIP제어번호 : CIP2019036617)